'Llyfr fydd yn sicr
o ddiddanu rhieni
yn ogystal â'u plant.'

'Cymysgedd hyfryd
o ddiniweidrwydd a
hiwmor wrth i Clem
fynd i ganol pob math
o sefyllfaoedd difyr.'

'Mae pawb yn dotio
at Syr Boblihosan
a'i chwiwiau.'

I

Thomas ac Euan
fy neiaint hwp a hoi!

Cyhoeddwyd gan Rily Publications Ltd,
Tenafly House, Wernddu, Caerffili CF83 3DA

Hawlfraint yr addasiad © 2014 Rily Publications Ltd
Addasiad Cymraeg gan Luned Whelan

ISBN 978-1-84967-182-8

Hawlfraint y testun a'r darluniau © 2013 Alex T. Smith
Cyhoeddwyd yn wreiddiol yn Saesneg o dan y teitl *Claude in the Country*
gan Hodder Children's Books, argraffnod o Hachette Children's Books,
un o gwmnïau Hachette UK.

Ffrwyth dychymyg yw holl gymeriadau'r cyhoeddiad hwn,
a chyd-ddigwyddiad yn unig yw unrhyw debygrwydd i bobl o gig a gwaed.
Argraffwyd a rhwymwyd ym Mhrydain gan Clays Ltd, St Ives plc.
Mae'r papur a'r cardfwrdd a ddefnyddir yn y cyhoeddiad hwn yn ddeunydd
ailgylchadwy naturiol a gynhyrchwyd o bren o goedwig gynaladwy.
Mae'r broses gynhyrchu'n cydymffurfio â rheoliadau amgylcheddol y DG.

Argraffwyd yn China.

RILY

www.rily.co.uk

CLEM

ar y Fferm

ALEX T. SMITH

Addasiad Luned Whelan

Wyt ti wedi cwrdd â Clem?
Wel, dyma fe.
Shw mae, Clem?

Beret

Clem ⟶

Siwmper
smart iawn

Ci ydy Clem.

Ci bach ydy Clem.

Ci bach crwn ydy Clem.

Ci bach crwn ydy Clem, ac mae e'n
gwisgo beret a siwmper smart iawn.

Mae Clem yn byw mewn
tŷ gyda'i berchnogion,
Mr a Mrs Sgidiesgleiniog . . .

. . . a'i ffrind gorau, Syr Boblihosan.

Hosan ydy Syr Boblihosan,
ac mae'n eithaf bobli.

Pan fydd Mr a Mrs Sgidiesgleiniog
yn rhuthro allan drwy'r drws i'r
gwaith bob bore, bydd Clem yn
cydio yn ei feret, sydd o dan
ei glustog, ac yn penderfynu
ar antur y dydd.

I ble fydd Clem a Syr Boblihosan
yn mynd heddiw, tybed?

Roedd hi'n fore dydd Iau, a'r diwrnod cynt – dydd Mercher – roedd hi'n ddiwrnod gwlyb. Gan fod eu cotiau glaw yn y siop lanhau dillad, roedd Clem a Syr Boblihosan wedi methu mynd ar antur. Bu'n rhaid iddyn nhw aros yn y tŷ.

Bu Syr Boblihosan wrthi'n brysur
yn ysgrifennu hanes ei fywyd,
a bu Clem yn brysur yn
diflasu ar bob dim.

Yn gyntaf, taflodd ei hun ar ei hyd ar
y carped ac esgus bod yn sâl er mwyn
i Syr Boblihosan dalu sylw iddo.

Ond wnaeth hynny ddim gweithio,
felly rhedodd Clem rownd a rownd
mewn cylch, yna gwylio ffilm gowbois
ddiddorol iawn, ac wedyn perfformio
cyngerdd i'w holl ffrindiau eraill.
Bu hynny'n llwyddiant mawr.

CLANG! CLANG! CLANG!

Mr Hosan Ddrewllyd

Madam Sliper Ddarniog

Dr Asgwrn Gwichlyd

← Islwyn

Ond roedd hi'n ddydd Iau bellach,
ac roedd yr haul yn gwenu.
Roedd angen awyr iach ar Clem.

'Dwi am fynd am dro i'r wlad,'
meddai. Felly dyna wnaeth e.

15

Penderfynodd Syr Boblihosan fynd hefyd. Roedd e'n cael trafferth gyda phennod anodd yn ei lyfr, a byddai diwrnod allan yn gwneud lles iddo. Roedd e'n poeni braidd am fynd i'r wlad, gan ei fod wedi clywed ei bod yn wyrdd iawn yno, ac roedd gwyrdd yn tynnu'r lliw o'i wyneb.

Ond penderfynodd fod
yn ddewr, a brysiodd y
ddau ffrind ar eu taith.

THEATR GRAND

I'R WLAD

MYNYDDOEDD MAWR

Cyn bo hi roedden nhw
yn y wlad. Cafodd Clem
syndod o weld pa mor
fawr a pha mor wyrdd
oedd e. Penderfynodd
Syr Boblihosan ei fod
yn ei hoffi'n fawr
wedi'r cyfan.

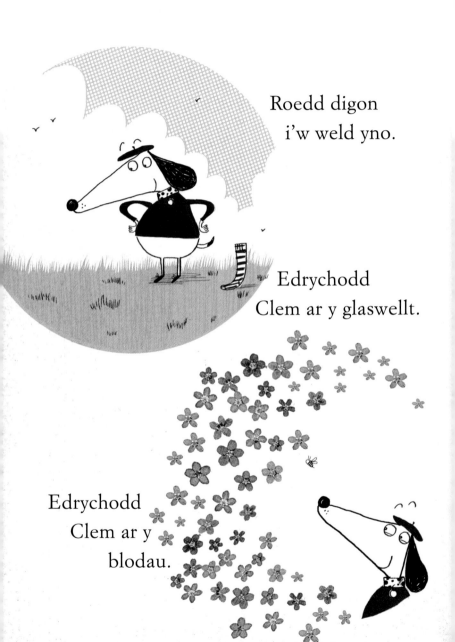

Roedd digon
i'w weld yno.

Edrychodd
Clem ar y glaswellt.

Edrychodd
Clem ar y
blodau.

Ac edrychodd cwningen ofnus
yn syn ar Clem!

Toc, clywodd Clem arogl digon
rhyfedd. Er nad oedd yn ddrewllyd,
roedd braidd yn chwifflyd.
Roedd yn arogli fel cyfuniad o fwd
a Syr Boblihosan pan oedd yn flin
a heb ymolchi ers wythnos.

**CROESO I
FFERM BENOLAU
GWLANOG**

Cyn hir, daeth Clem i ddeall
mai o'r fferm roedd yr arogl yn dod.

Doedd Clem ddim wedi
bod ar fferm o'r blaen, felly
penderfynodd fynd i chwilota.
Gwthiodd Syr Boblihosan beg
ar ei drwyn a hercian ar ei ôl.

Cyn iddo fynd yn bell iawn,
gwelodd Clem wraig hwyliog
mewn dyngarîs a welingtons
yn codi llaw arno.

Cribodd Clem ei glustiau'n gyflym,
a thwtiodd Syr Boblihosan ei fobls.

25

'Helô!' meddai'r wraig, a brasgamu draw atyn nhw. 'Fy enw i yw Mrs Cacen-Dom, a fi biau'r fferm yma!'

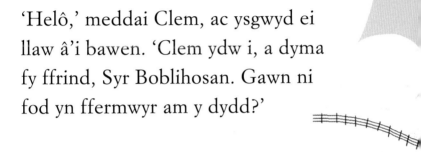

'Helô,' meddai Clem, ac ysgwyd ei llaw â'i bawen. 'Clem ydw i, a dyma fy ffrind, Syr Boblihosan. Gawn ni fod yn ffermwyr am y dydd?'

FFAIR Y SIR
ar
FFERM BENOLAU GWLANOG
yn dechrau am 3 o'r gloch
CACENNAU
CYSTADLAETHAU!
LLYSIAU SIAPIAU GWIRION!

27

'Cewch, siŵr iawn,' meddai
Mrs Cacen-Dom, oedd yn falch
o'u help, gan fod ganddi ddiwrnod
prysur iawn o'i blaen. Wedi'r cyfan,
heddiw oedd diwrnod Ffair y Sir, a
byddai pobl o bob man yn dod at ei
gilydd i arddangos eu hanifeiliaid
hardd a'u llysiau siapiau gwirion.

Roedd Syr Boblihosan yn hoffi'r
syniad yn fawr, a Clem hefyd.

'Mae Ffair y Sir yn cael ei chynnal
ar un o fy nghaeau i pnawn 'ma,'
eglurodd Mrs Cacen-Dom.
'Gallwch chi'ch dau roi help
llaw i fi baratoi popeth!'

Rhoddodd bâr o
welingtons i Clem
a bant â nhw.

29

Ar ôl glaw mawr y diwrnod cynt,
roedd llawer iawn o byllau
mwdlyd ar y fferm.

Herciodd Syr Boblihosan o'u
hamgylch yn ofalus gan nad
oedd e'n hoffi unrhyw beth
budr o gwbl. Roedd yn falch
nad aeth ei fobls yn flêr.

Gwnaeth Clem yn siŵr ei fod
yn creu sblish a sblash ym mhob
un o'r pyllau.

Roedd ambell bwll yn ddyfnach
na'r disgwyl . . .

Y dasg gyntaf oedd bwydo'r ieir
a chasglu'r wyau. Roedd Clem yn
hoff iawn o'r ieir. Hoffai'r ffordd
roedd eu penolau'n siglo wrth
iddyn nhw gerdded.

Wrth chwilio am yr wyau ger cwt yr
ieir, bu Clem yn ymarfer cerdded
fel iâr. Wobl! Wobl! Wobl! siglai ei
ben-ôl, ac er iddo gael hwyl, roedd
siglo pen-ôl yn waith blinedig.

Cafodd Syr Boblihosan
y bendro dim ond wrth ei wylio.

35

Roedd Clem yn dda am ddod o hyd i'r wyau. Cyn hir, roedd wedi casglu llond basged ohonyn nhw, ac wedi dod o hyd i un o dan ei feret, hyd yn oed!

'Y dasg bwysig nesaf sydd gen i,'
meddai Mrs Cacen-Dom, 'ydy
corlannu'r defaid. Fel arfer, rwy'n
gadael iddyn nhw fynd i chwarae yn
y caeau, ond heddiw, rhaid dod â nhw
i mewn i'r sied rhag ofn iddyn nhw
fynd dan draed yn ystod y ffair.'

Gwrandawodd Clem a Syr Boblihosan
yn astud arni wrth iddi egluro bod
ganddi gi arbennig, sef ci defaid,
oedd yn gwneud y gwaith drosti.

'Rwy'n chwythu fy chwiban,' eglurodd Mrs Cacen-Dom, 'yn pwyntio ac yn gweiddi, ac mae'r ci'n rhuthro o amgylch y cae, yn casglu'r defaid yn un praidd ac yn eu tywys i mewn i'r sied.'

Gan fod ci Mrs Cacen-Dom ar ei wyliau heddiw, gofynnodd i Clem wneud hynny.

Cytunodd Clem. Ond roedd pen-glin Syr Boblihosan yn rhy stiff iddo fedru helpu.

39

Doedd Clem erioed wedi bod yn gi defaid o'r blaen. Ond wir i chi, roedd yn cael hwyl arni. Gwthiodd ei feret o dan ei siwmper, rhoi rhwymyn chwys am ei ben a loncian o amgylch y caeau gan weiddi 'HELÔ!' a chwifio'i bawennau ar y defaid.

Ond doedd hyn yn dda
i ddim. Safai pob dafad yn
ei hunfan yn syllu arno, heb ddeall
beth yn y byd oedd yn digwydd.

41

Penderfynodd Clem roi cynnig
ar ddull gwahanol.

Lonciodd at y brif ddafad,
a gofyn iddi'n gwrtais iawn a
fyddai ots ganddi fynd i mewn
i'r sied am y prynhawn.

42

Cochodd y ddafad gan iddo ofyn mor gwrtais. Yna chwibanodd hi ar ei ffrindiau a throtiodd y defaid i gyd i mewn i'r sied.

'Da iawn, Clem!' meddai Mrs Cacen-Dom. 'Rwyt ti'n gi defaid ardderchog!'

Roedd Syr Boblihosan yn falch ac yn gwenu fel giât.

43

Y dasg nesaf oedd trin y ceffylau.
Roedd Clem yn llawn cyffro o'u
gweld. Roedd y cowbois a welodd
yn y ffilm y diwrnod cynt yn
marchogaeth ceffylau, ac yn
edrych yn hynod o smart wrth
wneud hynny, wir.

'Mae angen ymarfer ar y ceffylau,'
eglurodd Mrs Cacen-Dom.
'Hoffet ti eu marchogaeth?'

Nodiodd Clem yn llawn cyffro,
ond gwrthododd Syr Boblihosan yn
gwrtais. Roedd e wedi marchogaeth
ceffyl o'r blaen, a heb gael hwyl arni,
felly aeth i eistedd ar y ffens i fwyta
eclair siocled.

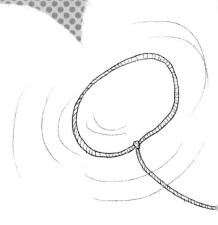

I ddechrau, roedd Clem wrth ei fodd ar gefn y ceffyl, ac yn teimlo fel cowboi go iawn. Yn well fyth, daeth o hyd i lasŵ o dan ei feret, a'i chwyrlïo'n frwd uwch ei ben.

Yna, yn anffodus, aeth y ceffyl dros ben llestri, a doedd Clem ddim mor hapus ar ei gefn . . .

Aeth Mrs Cacen-Dom ati ar unwaith i dynnu Clem oddi ar y ceffyl a thwtio'i glustiau, oedd braidd yn anniben ar ôl yr holl gyffro.

'Rwy'n credu y dylen ni i gyd gael paned o de a hoe fach,' meddai Mrs Cacen-Dom. Rhannodd y tri ffermwr fflasg o de a bwyta darn o fara brith bob un.

Roedd yn braf cael seibiant am funud neu ddwy, ac roedd llygaid Clem a Syr Boblihosan yn dechrau cau pan . . .

Canodd y ceiliog mwyaf a welsoch chi erioed, a hynny yng nghlust Clem.

Roedd Clem wedi dychryn am ei fywyd, ac roedd Syr Boblihosan yn crynu i gyd, gan nad oedd yn hoffi synau uchel, annisgwyl. Un tro, ar ôl i geiliog y rhedyn neidio ar ei ben, bu'n rhaid iddo fynd i'w wely am dridiau â gorchudd dros ei lygaid, a gwrando ar 'Synau Hyfryd y Goedwig' yn y cefndir.

Doedd Clem ddim am weld
hynny'n digwydd eto, felly cyn
i'r ceiliog wneud smic arall o
sŵn, gwthiodd Clem ddarn mawr
o fara brith i'w big, a gorchuddio
clustiau Syr Boblihosan.

'Beth am wneud rhywbeth arall?'
holodd Mrs Cacen-Dom.
'Rhywbeth tawelach, efallai . . .'

53

Aeth â Clem a Syr Boblihosan i weld
dwy das wair, gwartheg, tarw ffyrnig
ac, yn olaf, y moch.

54

Snwffiodd Clem snwffiad mawr
snwfflyd. A-ha! meddyliodd.
Y moch oedd yn arogli fel sanau
drewllyd! Fe sylwodd hefyd eu
bod yn fwd drostynt, a bod y twlc
yn fochaidd iawn.

Yn sydyn, edrychodd Mrs Cacen-Dom ar ei horiawr ac ebychu.

'Brensiach y bratiau!' gwaeddodd. 'Mae Ffair y Sir ar fin dechrau, a dydy popeth ddim yn barod. Mae'r moch yma i fod yng nghystadleuaeth y Moch Mwyaf Prydferth, ac edrych ar yr olwg sydd arnyn nhw! Fedret ti eu golchi'n gyflym er mwyn i fi fynd i weld a ydy'r stondinau i gyd yn barod?'

Cytunodd Clem, a chael piben
ddŵr hir a hen fath tun gan
Mrs Cacen-Dom.

'Diolch,' meddai hi, gan ruthro
oddi yno. 'Mi ddof i 'nôl toc i
weld sut mae pethau'n mynd.'

Edrychodd Clem ar y moch brwnt.
Yna edrychodd ar yr hen fath tun.
Yna edrychodd ar Syr Boblihosan ac
edrychodd Syr Boblihosan ar Clem.

Yna gwthiodd Clem ei feret o dan ei
siwmper, clymu ei glustiau ar ei ben,
torchi llewys ei siwmper a bwrw iddi.

Pan ddaeth Mrs Cacen-Dom yn ei hôl, doedd hi'n sicr ddim yn disgwyl gweld yr hyn a welodd hi . . .

'O!' meddai Mrs Cacen-Dom.
'Maen nhw'n edrych yn . . .
ymm . . . yn hyfryd . . .'

Ond cyn iddi fedru dweud rhagor roedd y cloc yn taro tri a Ffair y Sir wedi dechrau.

Roedd cant a mil o bethau
i'w gweld yno. A mwy na
digon o bethau i'w gwneud.
    Ac, wrth gwrs, rhaid oedd
        blasu'r cacennau.

62

Cawson nhw eu syfrdanu gan y pwmpenni buddugol,

a churo'u dwylo'n frwd pan enillodd ddyn wobr am ei giwcymber.

Fe ddalion nhw eu hanadl wrth
i feirniad cystadleuaeth y Moch
Mwyaf Prydferth – dyn snichlyd
yr olwg a chlipfwrdd yn ei law –
astudio moch Mrs Cacen-Dom.

O'r diwedd, sgriblodd ar ei bapur
a dweud mai Mrs Cacen-Dom
oedd wedi ennill! Yn ei gyffro,
taflodd Clem ei feret i'r awyr.

Rholiodd y beirniad snichlyd ei
lygaid, a brasgamu ar draws y cae
i ddyfarnu cystadleuaeth y Tarw
Mwyaf Blin yr Olwg.

Aeth Clem a Syr Boblihosan o amgylch y stondinau unwaith eto. Roedd cystadleuaeth y Ci Harddaf yn cael ei chynnal ymhen deng munud, ac roedd Clem yn ceisio penderfynu a ddylai fynd amdani pan ddaeth twrw ofnadwy o ben pellaf y cae.

TEIRW PERYGLUS

LLYSIAU SIAPIAU GWIRION

CACENNAU

WYT TI'N GI DEL? OS WYT TI, **BETH AM** GYSTADLU **AM** **WOBR** Y CI HARDDAF! 3.30 O'R GLOCH HEDDIW

Rhuthrodd Clem a Syr Boblihosan draw i gyfeiriad y twrw. Buan iawn y gwelson nhw beth oedd wedi digwydd.

Roedd hi'n amlwg fod y beirniad snichlyd yr olwg wedi gwylltio un o'r teirw mawr yn gacwn, ac roedd hwnnw bellach yn rhedeg ar ei ôl o amgylch y cae. Roedd cyrn mawr miniog y tarw'n anelu'n syth at ben-ôl y beirniad!

'Achubwch e!' gwaeddodd
Mrs Cacen-Dom, wrth i
bawb sefyll yn fud.

Yna cafodd Clem syniad. Cofiodd
am y ffilm gowbois y bu'n ei gwylio.
Cododd ei feret, cydio yn y lasŵ a
chamu'n ddewr i'r cylch.

Roedd bobls Syr Boblihosan yn
crynu, ac er bod ofn mawr arno,
fedrai e ddim peidio sbecian.

Roedd y tarw blin yn carlamu ar
hyd y lle fel rhywbeth gwallgof,
a'r beirniad druan yn rhedeg
nerth ei goesau o'i flaen.

'Help,' gwaeddodd.

Safodd Clem yng nghanol y cylch
a chwyrlïo'r lasŵ uwch ei ben.

Ie, ei chwyrlïo a'i chwifio,
ei chwifio a'i chwyrlïo.

Roedd y beirniad yn dal i garlamu
o gwmpas y cylch a'r tarw yn
dynn wrth ei sodlau. Yn sydyn,
llithrodd esgidiau'r beirniad ar
y gwair, a WWWWWWWWSH . . .

. . . sgrialodd ar hyd y cae a glanio
SBLAT ar ei wyneb mewn cacen dom!

Safodd y tarw yn ei unfan. Yna,
â chymylau o stêm yn chwythu o'i
ffroenau, dechreuodd sgriffian ei
garnau ar y llawr. Sgriff! Sgriff!
Sgriff! Yna – TAHŴŴM – bant
ag e fel bwled.

Rhedodd nerth ei garnau, ei ben
i lawr a'i gyrn yn sgleinio yn yr
heulwen. Pan oedd ar fin
pwnio pen-ôl y beirniad â'i gyrn,
taflodd Clem ei laswˆ i fyny'n uchel.

Roedd tawelwch llethol dros bob man.

Gallai Syr Boblihosan glywed sŵn
ei galon yn curo yn ei ben.

Cymerodd Clem anadl ddofn,
ac yna . . .

. . . ar yr union eiliad iawn,
ffliciodd ei bawen, a chaeodd
y lasŵ yn dynn am un o gyrn
y tarw. Roedd wedi'i ddal!

Tynnodd Clem, tynnu a thynnu â'i holl nerth, ac o'r diwedd, daeth y tarw i stop.

Cerddodd Clem tuag ato â chamau bach penderfynol.

'Nawr,' meddai, 'rwyt ti'n fachgen drwg iawn!' A siglo'i fys ar y tarw. 'Wyt ti am roi'r gorau i redeg ar ôl y dyn dymunol yma?'

Nodiodd y tarw ei ben yn ufudd.

'Da iawn,' meddai Clem, ac estyn
teisen fach oedd o dan ei feret.
Rhoddodd hi i'r tarw, ac fe gnôdd
hwnnw hi'n gwrtais.

Bloeddiodd y dorf ei chymeradwyaeth,
ac ysgydwodd y beirniad bawen Clem
a dweud 'diolch yn fawr'. Doedd e
ddim i'w weld mor snichlyd bellach!

Rhedodd Mrs Cacen-Dom draw
at Clem, gyda Syr Boblihosan yn
hercian ar ei hôl.

'Rwyt ti'n gi mor ddewr!' meddai,
a'i gwynt yn ei dwrn. 'Sut hoffet ti
fod yn ffermwr ar fy fferm i?
Byddet ti'n benigamp!'

Meddyliodd Clem am ei chynnig am funud. Roedd e wedi cael amser braf dros ben – ac roedd yr awyr iach wedi dod â lliw i'w fochau ef a Syr Boblihosan – ond roedd yn hoff iawn o'i wely clyd yn nhŷ Mr a Mrs Sgidiesgleiniog.

Edrychodd Clem ar Syr Boblihosan,
a gallai weld bod holl fusnes y tarw
wedi bod yn ormod iddo, braidd.
Roedd yn edrych fel petai arno
angen un o'i sesiynau gorffwys hir,
a hynny mewn ystafell dywyll.
Eglurodd hyn yn gwrtais iawn
wrth Mrs Cacen-Dom.

Er iddi gael siom, roedd hi'n deall.
'Rhaid i chi ddod 'nôl eto'n fuan,'
meddai.

Yna rhoddodd reid adre i Clem
a Syr Boblihosan.

Pan gyrhaeddodd Mr a Mrs
Sgidiesgleiniog adre, roedd Clem a
Syr Boblihosan yn glyd yn eu gwelyau.

'Mawredd mawr!' meddai
Mrs Sgidiesgleiniog, gan chwifio'i
llaw o dan ei thrwyn. 'Mae drewdod
ofnadwy yma! Wyt ti'n meddwl mai
Clem yw e?'

Chwarddodd Mr Sgidiesgleiniog.
'Wn i ddim,' meddai. 'Beth am ofyn
iddo pan fydd e'n effro? A gofyn
iddo o ble yn y byd daeth y lasŵ
yma hefyd!'

Yn ei wely gwenodd Clem wên fach.

Wrth gwrs ei fod yn gwybod
o ble roedd e wedi dod.

Ac rydyn ni'n gwybod hefyd,
on'd ydyn ni?

Pethau diddorol i'w gweld yn y wlad:

Cacennau dom

Moch prydferth

Teirw blin
(PERYGLUS!)

 Ieir sy'n siglo'u
penolau

Cofia fynd â dy
welingtons!

A chofia chwilio am Clem
a Syr Boblihosan. Dwyt ti byth
yn gwybod ble weli di nhw nesa!